레미 쿠르종 지음

학교 다닐 때 선생님의 모습을 재미있는 그림으로 그려 친구들에게 인기가 많았던 레미 쿠르종은 대학에서 미술을 공부하고 한동안 광고 분야에서 일했습니다. 여행을 다니면서 그림을 그리기도 하고, 어린이를 위한 책도 많이 썼습니다. 최근에는 세 아이, 초콜릿 무스 그릇, 토끼 고기 요리, 배영, 자전거, 스쿠터, 낮잠, 블로그, 모바일 기기에 관심이 많아졌습니다. 요즘은 초상화를 열심히 그리고 있답니다. 우리나라에 나온 책으로는 『말라깽이 챔피언』, 『3일 더 사는 선물』, 『진짜 투명인간』, 『수다쟁이 물고기』 등이 있습니다.

이정주 옮김

서울여자대학교와 같은 학교 대학원에서 불문학을 전공했습니다. 지금은 방송과 출판 분야에서 전문 번역가로 활동 중이지요. 우리나라 어린이와 청소년에게 재미와 감동을 주는 프랑스 책들을 직접 찾기도 한답니다. 옮긴 책으로 『어린이 요가』, 『아빠는 냄새나지 않아』, 『아빠는 울지 않아』, 『레나의 비밀일기』, 『진짜 투명인간』, 『3일 더 사는 선물』, 『고래들이 노래하도록』, 『스크린을 먹어 치운 열흘』 등이 있습니다.

레오틴의 긴 머리

1판 1쇄 발행 2015년 10월 22일
1판 2쇄 인쇄 2017년 02월 22일

글쓴이 레미 쿠르종
옮긴이 이정주
펴낸이 남영하

편집 길상효 이예은 **디자인** 박규리 **마케팅** 주영상
종이 세종페이퍼 **인쇄** 미광원색사 **제본** 신안문화사

펴낸곳 ㈜씨드북 **등록** 제2012-000402호
주소 03997 서울 마포구 월드컵로 16길 52-23
전화 02) 739-1666 **팩스** 0303) 0947-4884
홈페이지 www.seedbook.kr **전자우편** seedbook009@naver.com
인스타그램 instagram.com/seedbook_publisher
페이스북 facebook.com/seedbook.kr **카카오스토리** story.kakao.com/seedbook

LES CHEVAUX DE LEONTINE by Rémi COURGEON
Copyright © MANGO, Paris, 2014
Korean Translation Copyright © Seedbook Co. Ltd., 2015
All rights reserved.
This Korean edition was published by arrangement with FLEURUS EDITIONS(Paris)
through Bestun Korea Agency Co., Seoul

이 책의 한국어판 저작권은 베스툰 코리아 에이전시를 통해 저작권사와 독점 계약한 ㈜씨드북에 있습니다.
저작권법에 의하여 한국 내에서 보호를 받는 저작물이므로 무단 전재와 무단 복제를 금합니다.

ISBN 979-11-85751-44-3 77860

제품명: 레오틴의 긴 머리 **제조자명:** ㈜씨드북
주소: 서울시 마포구 월드컵로 16길 52-23 **전화번호:** 02-739-1666
제조국명: 대한민국 **제조년월:** 2017년 2월 **사용연령:** 6세 이상

KC마크는 이 제품이 공통안전기준에 적합하였음을 의미합니다.
△주의: 종이에 베이지 않게 주의하세요.

책값은 뒤표지에 있습니다. 잘못 만들어진 책은 구입하신 서점에서 바꾸어 드립니다.

이 도서의 국립중앙도서관 출판예정도서목록(CIP)은 서지정보유통지원시스템 홈페이지(http://seoji.nl.go.kr)와 국가자료공동목록시스템(http://www.nl.go.kr/kolisnet)에서 이용하실 수 있습니다.
(CIP제어번호: CIP2015026448)

레오틴의 긴 머리

레미 쿠르종 지음 · 이정주 옮김

씨드북

레오틴은 수줍음이 아주 많은 여자아이였어요.
너무 부끄러워서 긴 머리카락으로
얼굴을 꽁꽁 숨기고 다녔지요.
레오틴이라는 이름도 마음에 들지 않아 했어요.
아이들이 걸핏하면 레오틴을 놀려 댔거든요.

"레오틴은 부끄럼쟁이, 맨날맨날 숨는대요!
레오틴은 부끄럼쟁이!"

레오틴은 어렸을 적에 아빠가 돌아가셨어요.
너무 어렸을 때라 기억이 나지는 않아요.

엄마는 레오틴이 아빠의 머릿결을 가졌다고 말했지요.
그래서 레오틴은 한 번도 머리카락을 자르지 않았어요.

이 '커튼 머리'가 레오틴과 아이들을 갈라놓았어요.
아이들은 때때로 레오틴을 괴롭히기도 했어요.
하루는 여자아이들이 레오틴을 거칠게 밀었어요.
레오틴이 휘청 쓰러지려고 하자,
긴 머리카락이 움직이면서 넘어지지 않게 도와주었어요.

그래서 레오틴은 긴 머리카락이 살아 있다는 것을 알았어요.
평소처럼 머리를 빗는데, 긴 머리카락이 자기 마음대로 움직였지요.
심지어 밤하늘을 수놓은 별들을 올려다보라고
침대에 있는 레오틴을 끌어당기기도 했어요.

레오틴은 긴 머리카락이 찰랑찰랑 흔들릴 때마다
무슨 일이 일어날 거란 걸 알았어요.

처음에는 불편했지만
조금씩 익숙해지며 전보다 강해진 기분이 들었지요.

옆 반에 레오틴의 호기심을 끄는 남자아이가 있었어요.
이름은 올라프이고, 모든 것을 노래로 바꿔서 불렀어요.
날씨, 트럭 소리, 수학문제까지
올라프에게는 모든 것이 노래가 되었지요.
그래서 아이들은 올라프를 노래쟁이나 괴짜 가수라고 불렀어요.
레오틴은 올라프가 옆을 지나가면
긴 머리카락이 살랑거리는 것을 느꼈어요.

어느 날 오후, 레오틴은 복도에서 올라프와 마주쳤어요.
레오틴의 긴 머리카락이 올라프를 한참 동안 쓰다듬었지요.
그 바람에 레오틴의 두 눈이 드러나 올라프의 눈과 딱 마주쳤어요.
올라프는 노래를 멈추었어요.

레오틴은 얼굴이 빨개졌어요.

올라프는 긴 머리에 가려 아무도 보지 못했던
레오틴의 얼굴을 보고 눈을 떼지 못했어요.
흠뻑 반해서 한동안 말을 잃었지요.
콧노래도 나오지 않았어요.
그런데 어떤 노래 하나가 입속에서 맴돌기 시작했어요.
이 노래는 아주 멀리, 마음속 깊은 곳에서 우러나왔지요.

그런데 올라프의 입 밖으로 나온 것은 정작 노래가 아니었어요.
"너 참 예쁘다. 머리로 얼굴 가리지 마!"
올라프는 말을 마치자마자 쏜살같이 도망쳤어요.

레오틴은 올라프의 말을 생각하며
긴 머리카락을 싹둑싹둑 잘랐어요.
머리카락은 레오틴이 하는 대로 순순히 따랐어요.
레오틴은 발밑에 떨어진 머리카락이 꼬물꼬물 기어가서
돌돌 말리는 것을 쳐다보았어요.
마치 작은 뱀들이 굴에 들어가는 것 같았지요.

다음 날, 레오틴은 숨을 크게 내쉬고는
학교 운동장으로 걸어 들어갔어요.
얼굴을 환히 드러내고요.
오로지 올라프만이 레오틴을 알아보았지요.
그날 밤, 레오틴은 올라프와 함께 머리카락을 비밀 장소에 묻었어요.

올라프는 레오틴에게 노래를 지어 선물했어요.

레오틴의 머리카락은 짧아졌지만 여전히 살아 움직였어요.
그 사실을 모르는 사람들은 머리카락이 산들바람에 흔들린다고 생각했어요.
이제 레오틴은 그 어느 것으로도 눈을 가리지 않아요.
더 이상 그 무엇도 두렵지 않아요.
그리고 레오틴의 이름은 듣기 좋은 노래가 되었어요.